D1495222

RETROUVEZ

titeuf

DANS LA BIBLIOTHÈQUE ROSE

c'est pô une vie...

même pô mal...

c'est pô croyab'

c'est pô malin...

pourquoi moi ?

les filles, c'est nul...

tchô, la planète !

le préau atomique

Ah ouais, d'accord...

au secours !

tcheu, la honte !

tous des pourris du slip !

ZEP

titeuf

tous des pourris du slip !

Adaptation : Shirley Anguerrand

HACHETTE

1

Dans la vie, y'a des vrais moments de super liberté poétique et moi, je me sens comme si j'avais le droit de faire toutes les grimaces qui me plaisent et tant pis si ça dérange. C'est mes grimaces à moi.

Je teste plein de trucs incroyables comme grimaces. Même des animaux. Y'a des fois, c'est tellement bien fait que je me fais peur à moi-même, c'est pour dire !

J'aime bien faire la grimace de la tête de mort avec les doigts dans le nez. Mais j'évite quand j'ai le rhume.

Y'en a une autre qui est vachement drôle, c'est celle du chinois. Mais la mieux, c'est la tête de chimpanzé. Quand je la fais devant Dumbo, elle croit que c'est elle que j'imite et ça la fout en colère et ça fait bien rigoler les copains. Elle est bête, elle sait même pas que Dumbo, c'est un éléphant, pas un chimpanzé.

Je suis le meilleur de la classe et presque même le meilleur de l'école en grimaces. C'est du boulot, faut pô croire ! Moi, je me suis entraîné des heures depuis des tas d'années pour avoir un bon niveau. Mais ça suffit pas. En tout cas, moi, je suis sûr que, au départ, faut quand même avoir un don à la naissance.

Les adultes, y'en a pô beaucoup qui savent faire des chouettes grimaces. Sauf mon pépé parce qu'il peut enlever ses dents pour faire Popeye. La super classe ! Vraiment, les grimaces, c'est les plus beaux moments de la vie où on oublie tout le reste...

2

C'est un jour de semaine où je rentrais tout tranquille de l'école comme d'habitude. Comme y'avait personne au salon et que c'est pô normal, j'ai appelé maman pour la prévenir que j'étais là, mais elle a pas répondu, alors je suis allé dans la chambre des parents. Maman y était. Avec papa. Et ils avaient l'air de pas m'attendre.

Si je connaissais pas si bien mes parents, j'aurais même pu croire qu'ils étaient hyper gênés. C'est vrai que, d'être là, par terre avec pô d'habits, on aurait pu imaginer que ça peut gêner des gens.

Papa et maman se sont levés tout d'un coup comme si c'était urgent. Ils étaient tout rouges et papa a dit « Hé ! Hé ! Titeuf... Tu es déjà là ? » et maman a dit « Hi ! Hi !».

Voilà pourquoi ils étaient tout rouges ! La gym, ça fatigue vachement et après on transpire et puis on a chaud et c'est pour ça qu'on devient rouge surtout quand on a pô l'habitude de faire du sport et encore pire quand on est super vieux, comme mes parents. Donc, là, mes parents étaient rouges à cause de la gym. OK. Mais ça expliquait pas tout...

Les parents étaient assez bizarres. Ils se sont mis à trottiner autour de leur lit en disant Hop Hop comme quand on fait un footing et moi, je restais là à les regarder et ils me faisaient penser à ce nouveau mot que la maîtresse nous avait fait regarder dans le dictionnaire : grotesque.

En tout cas, malgré tout le mystère qu'ils ont mis autour de leur attitude méga bizarre et même si je sais qu'ils avaient pô prévu que ça arrive et qu'ils ont tout fait pour me cacher la vérité, les parents, ce jour-là, ont répondu sans le vouloir à une question hyper importante que je me posais depuis un moment déjà.

3

Avec les copains, on adore les jours de purée à la cantine. Sauf Jean-Claude, parce que la purée, lui, ça le fait pas marrer. Pourtant, il doit aimer ça : c'est quand même ce qu'il y a de plus pratique quand on a l'atelier du forgeron sur les dents.

On a nos codes et on aime les respecter. Et on aime pas quand y'en a un qu'essaie de nous péter l'ambiance. Notre code numéro 1, c'est dès qu'on est à table, y'en a un qui commence (d'habitude c'est Hugo) en disant « Bona... Bona... » et les autres qui disent « ...pétit ! »...

C'est pas de notre faute, si celui qui nous pète l'ambiance, c'est toujours ce naze de Jean-Claude et sa tronche de carte des chemins de fer d'Europe. Il nous traitre de comme si on était débiles et ça énerve. Alors c'est normal que ça soit lui la cible de notre code numéro 2.

C'est vraiment super drôle, la guerre des purées. On a aussi l'offensive des yaourts et le bombardement de petits-suisses. Et comme Jean-Claude, il nous provoque encore pire, on est obligés de le bombarder encore pire. Normal. Mais y'a toujours le moment triste des bonnes choses qui ont une fin.

J'essaie de négocier avec le type de la cantine mais, en temps de guerre, il fait des restrictions et il refuse toujours de me redonner de la purée. On devrait l'envoyer en cour martiale pour ça.

4

Dans la famille, y'a plein de tontons et de tatas. Quand ils étaient jeunes, c'étaient les frères et les sœurs de mon papa et de ma maman. On va les voir des fois.

Chez tonton Paul, y'a ma cousine Betty qu'a un gros ventre. Papa lui a dit bonjour en demandant si c'était pour bientôt. Betty, elle a répondu oui mais avec une petite voix qui rigole pas comme quand on a fait une bêtise.

Papa, lui, souriait et il m'a demandé si j'étais content de presque avoir un petit cousin.

Tout le monde a fait une tête comme si j'avais dit un truc qu'ils savaient pas (tu parles !). Maman, elle a dit qu'on pouvait avoir un bébé sans être marié. J'ai demandé pourquoi alors elle s'était pas mariée avec le frère d'Hugo alors qu'avant ils allaient tout le temps se faire des bisous dans les buissons.

Betty pleurait tellement qu'elle est partie dans sa chambre pour pô avoir la honte. Moi je comprenais rien et en plus papa m'a râlé dessus que j'étais content d'avoir fait pleurer Betty et que j'avais plus qu'à m'excuser maintenant. J'y comprenais encore plus rien mais j'y suis allé.

Elle a tellement hurlé que j'ai même cru qu'elle s'était assise sur une punaise. En tout cas, j'ai tout compris d'un coup : c'était pô du tout de ma faute qu'elle pleure, parce que j'aurais pu dire n'importe quoi d'autre à Betty, le résultat aurait été pareil.

5

Je vais des fois avec mon pépé au parc. J'aime bien parce que, quand il me ramène à la maison, on peut se raconter plein de trucs rigolos. Et même que mon pépé, il me raconte aussi des secrets sur mon papa et ma maman de quand j'étais pô né.

Cette fois-ci, j'ai demandé à pépé si c'était bientôt que j'aurais une petite sœur. Pépé avait l'air de pas connaître la réponse. Il disait des euh... et il faisait des petits rires pour gagner du temps. Il a même essayé de changer de sujet mais il a bien vu que je lâcherais pô alors il a fini par avouer...

En fait, je voyais pô du tout mais je voulais pas avoir l'air d'un débile qui sait rien des graines. J'en avais entendu parler un peu mais je voulais savoir comment elle arrivait pour de vrai. C'est là que pépé a dit que le petit oiseau allait apporter la graine. Faut quand même pas me prendre pour un bleu...

Bon. Maintenant que je voyais plus ou moins le rôle du petit oiseau de papa, j'aurais bien aimé qu'on me dise ce qu'il attendait, le petit oiseau, pour l'apporter, la graine, à ma maman. Pépé a dit que, pour l'instant, il se reposait, qu'il restait au chaud.

Et puis, comme on est arrivés à la maison, j'ai pas vraiment pu poser toutes mes questions à pépé. En tout cas, j'en savais assez pour demander des comptes.

6

Je reçois des lettres des
copains et je leur envoie aussi
des cartes quand on est en
vacances, mais quand je reçois
une lettre en plein milieu de
l'année, ça me fait toujours
bizarre et je suis super curieux
de voir ce que c'est. Alors j'ai
vite ouvert l'enveloppe et j'ai lu.

J'ai même lu une deuxième fois pour être sûr que j'avais bien lu ce que j'avais lu...

...et j'ai vraiment cru que j'allais presque tomber dans les pommes tellement c'était super.

Toute ma vie, j'avais attendu un moment pareil. Mes plus beaux rêves c'était ça. Et là, tout simplement, ça m'arrivait sans que j'aie rien fait pour ça. C'était incroyable, hypersuperméga délire, il fallait que je coure annoncer à ma maman que NADIA M'INVITAIT À SON ANNIVERSAIRE SAMEDI.

Je suis retourné dans ma chambre avec ma jolie carte d'anniversaire. C'était la meilleure bonne nouvelle de toute la semaine et même de tout le mois et pourtant, quelqu'un avait fait une retouche dans mon beau programme...

7

On avait fait une grandiose
partie de foot chez la mémé de
Manu. C'est super chouette la
maison de sa mémé parce qu'il
y a un jardin et elle fait des
bons petits gâteaux pour le goû-
ter. Avec Manu, on adore y aller.
Avant d'aller manger les méga-

bons gâteaux de sa mémé, on est partis se laver les mains à la salle de bains. Je disais à Manu que sa mémé était vachement sympa de nous laisser jouer dans le jardin et Manu me disait de faire moins de bruit parce que sa mémé faisait la sieste. Bref, on parlait tranquillement quand, tout à coup, je suis tombé nez à nez avec la chose...

Manu a eu drôlement peur que je crie comme ça et aussi parce que ça pouvait réveiller sa mémé. Mais quand je lui ai montré le bocal, il a compris. Il s'est rapproché et il a regardé : au milieu du bocal, flottant, l'air de rien dans l'eau, y'avait un **PIRANHA** en pleine salle de bains. Manu a dit que sa grand-mère avait dû le capturer.

On a fait quelques tests pour évaluer la férocité du piranha. On lui a donné un chewing-gum à manger, pour voir. Mais la bête a pô voulu y toucher. Il était plus rusé qu'on pensait et il commençait vraiment à nous foutre la trouille. On a décidé de s'en débarrasser, ça devenait trop dangereux.

Manu a dit qu'on aurait pu le jeter aux toilettes mais je lui ai dit qu'il aurait bouffé le zizi de son pépé et que, vraiment, on avait pris la bonne décision.

8

C'est pas le plus drôle d'apprendre par cœur les poésies pour l'école. Maman, elle dit que ça exerce la mémoire. Moi, j'arrive déjà pô à faire les exercices des devoirs, alors ceux de la mémoire, j'ai carrément pas le temps ! Le truc sympa c'est quand, avec Manu, on répète ensemble. Sauf l'autre jour, où fallait apprendre une poésie et que Manu m'a énervé. J'ai à peine commencé à réciter : « petite fleur au bord du chemin... » et Manu m'a coupé tout d'un coup en disant juste « sentier ». J'ai dit « quoi, chemin-sentier ? » et il a dit « c'est pas "chemin", c'est "sentier" ».

Il m'agace pour de vrai quand il fait ça. Il dit même pas stop avant de sortir sa petite correction de premier de la classe. En plus, il me fait ses petites réflexions que j'ai qu'à me concentrer, tout ça. Le pire c'est quand j'ai continué la poésie « ...tu donnes le bonheur et la gaieté... » et que ce débile me corrige en disant « gaipé ».

Évidemment, ça a mal tourné parce que cet abruti m'accusait d'écrire comme un cochon alors que c'est lui qui devrait changer de lunettes. Et puis il m'a dit que ses lunettes allaient très bien et que lui il savait par cœur son pouème alors que moi je le savais pas du tout.

Moi ? Je savais pas mon pouème ? Moi ?

Y'a un truc que savent bien faire les parents, c'est entrer dans ta chambre sans te demander. Mais, là où ils sont vraiment spécialistes, c'est pour entrer dans ta chambre sans te demander quand c'est pas du tout le moment.

9

Y'a rien de plus drôle que quand un nouveau arrive dans la classe. On peut lui faire tous les coups pourris qu'il connaît pô encore et il marche toujours à fond. On a tout de suite senti que ce nouveau-là, c'était de la crème et qu'on allait bien se poiler. Pour commencer, on s'est présentés avec des noms de gros mots. Il nous écoutait sans rien dire en souriant. Soit il trouvait ça rigolo, soit il comprenait pô du tout (et ça, c'est encore plus drôle). J'ai présenté Manu : « Lui, c'est petite crotte. » François, c'était caca pourri.

Comme la cloche a sonné, on a dû rentrer en classe. Diego a dit : « On y va, les glaireux ! » et moi j'ai ajouté pour le nouveau : « Allez, en classe, pue-des-pieds ! »

Le nouveau avait l'air un peu perdu dans l'école mais on a vu qu'un prof venait l'aider alors on l'a pas attendu.

Le maître qui s'approchait de lui, c'est un type qu'on connaît bien. Il a l'air gentil mais il paraît que ça rigole pô trop dans sa classe. Quand même, des fois j'aimerais mieux l'avoir comme prof que la vieille mémé pourrite qu'on a. En tout cas, il est venu parler au nouveau et c'est cool.

Quand on s'est installés en classe, y'avait une place pour le nouveau, pile à l'endroit le plus pratique pour lui envoyer des boulettes alors on attendait vachement qu'il arrive. Il s'est pointé en retard, pendant que la maîtresse nous parlait de lui...

10

Mon papa il a attrapé le chômage y'a longtemps et ça l'embête pour trouver du travail. Le père de Vomito aussi. Mais, apparemment, il avait trouvé un nouveau travail et Vomito il était hyper fier de le dire aux copains. Il a commencé à se vanter comme si son père il était super classe d'avoir retrouvé un boulot et moi, ça m'énerve. Il a commencé à raconter que son père était technicien de surface et, comme Manu et François savaient pô ce que ça veut dire, Vomito a expliqué que c'est comme architec' mais plutôt dans une grande surface. N'importe quoi !

Vomito a crié que, au moins, son père à lui, il avait un travail. Pas comme d'autres. Alors j'ai dit que mon père avait aussi trouvé du travail et qu'il était même pilote d'avion et qu'il venait de s'envoler pour New York. Vomito a dit « Waaah le menteur ! » et c'est là que quelqu'un a appelé « Titeuf ! ». C'était papa...

Pour bien m'achever, papa est reparti sur sa machine à caca en promettant de m'emmener faire un tour la prochaine fois. Je me demandais si c'était un cauchemard ou si papa avait découvert que c'était moi qui avais mangé la part de gâteau que maman gardait pour lui et qu'il me faisait la plus grande honte du siècle pour se venger.

Ce qui est sûr, c'est que j'ai entendu parler de moto-crotte en route pour New York tout l'après-midi et que la vérité c'est que c'était de la faute de mon père et que, donc, mes parents étaient des nuls.

11

Au début, on sait jamais à quoi jouer avec les copains. On avait joué des centaines de milliards de fois aux cowboys et aux indiens, on avait joué aux termites de l'espace, aux forces jaunes, aux space rangers, aux explorateurs de la jungle et

même à la diligence alors que
c'est un jeu presque aussi vieux
que mon père. Des idées de jeux,
on en avait, c'était pô le problème; là où on avait pas d'idée,
c'était quelle idée de jeu on pren-
drait. J'ai proposé qu'on joue aux
troupes qui bombardent les
Somaliens qui meurent de faim.
Hugo a voulu faire un Somalien.

C'est toujours moi qui dois proposer des jeux et les autres qui disent si ils sont d'accord ou pas et c'est pas normal. J'ai quand même proposé de jouer aux gendarmes et aux voleurs mais Ali a dit qu'il en avait marre de faire le voleur. Au moins, on savait une chose : il était exclu de jouer à un jeu de filles.

Personne est jamais content : quand j'ai dit qu'on joue à Superman, Fabien a râlé parce qu'il avait encore la jambe dans le plâtre de la dernière fois. J'ai voulu jouer à la chasse à l'intello mais François m'a lancé un regard furieux derrière ses méga lunettes. J'ai aussi proposé des jeux plus classiques...

Et comme tout le monde a foutu le camp en m'engueulant comme si c'était de ma faute, je me suis retrouvé tout seul avec Manu qu'avait pô bougé et qui avait sûrement rien entendu de la discussion avec tous ces Bip-Bip et ces Mut-Mut qu'il faisait en jouant et il avait l'air bien tranquille...

12

Quand on était petits, avec
Manu, on adorait faire des
blagues au téléphone. On en
fait encore un peu des fois, mais
juste pour rire : on est plus des
mioches. On a trouvé un truc
encore plus marrant : c'était le

numéro où tu tombes sur des filles qui disent des cochonneries et des trucs du slip. On a appelé. J'ai entendu la fille décrocher et dire qu'elle s'appelait Sonia. Elle disait qu'elle allait nous raconter son histoire. Elle avait pô commencé que Manu m'a chipé le téléphone pour écouter à ma place.

Manu répétait ce qu'elle disait mais c'était pô clair : elle parlait de petit chat, de mouillé, de fièvre et moi je me demandais bien ce que c'étaient, ces conneries. Elle posait des colles genre elle disait qu'elle mettait sa main et fallait deviner où. Quand j'ai repris le téléphone à Manu, elle parlait même plus.

Comme c'était nul, j'ai redonné le téléphone à Manu. Il a dit que c'est vraiment qu'elle disait des Haaa mais tout d'un coup elle a recommencé les gros mots. Elle disait « cul » ou « clitouriste » et ça devait être vachement marrant, sauf que moi je pouvais pô les entendre et que, dit par Manu, c'était pas drôle.

Et puis tout à coup, le papa de Manu nous a entendus et il a débarqué en criant que c'était quoi ce chahut et qu'est-ce qu'on faisait avec ce téléphone. Évidemment, il nous l'a pris et il a écouté et on sait pô ce que Sonia lui a dit, mais c'était pas des haaa...

13

On attend toujours super longtemps pour avoir notre tour au carrousel. Du coup, c'est encore plus génial quand il est enfin à nous. Dans le parc, il y a aussi plein d'autres activités : des chouettes toboggans avec des tournants et des pentes super fortes et méga glissantes. Y'a aussi des bacs à sable pour les minus, et puis plein de genres de balançoires différents. Mais on joue qu'un petit peu à tout ça parce que c'est seulement pour attendre le carrousel. Et quand on l'a, il est pô question de se le faire piquer.

Avant de partir à douze mille tours, on a dit à Hugo : « Et d'abord, c'est pas un carrousel, c'est une machine à remonter le temps ! Et toc ! ». Et pff-fiououou, c'était parti ! Hugo nous a ordonné de descendre tout de suite mais on a répondu qu'on descendrait quand on serait arrivés dans le futur.

On rigolait bien avec Vomito, et on tournait de plus en plus vite pour atteindre l'an 3000. Hugo et Marco restaient là. Tout ce que j'arrivais à voir, c'est la grosse tache rouge du pull d'Hugo. Mais je savais que Marco et lui étaient pas contents. Et puis Vomito a dit qu'il se sentait pas très bien...

Moi, j'ai pô reçu une goutte. C'est la science qui m'a proté-gé : quand on fait faire l'hélico-ptère au-dessus de notre tête à un sac en plastique, ce qu'il y a dedans part toujours sur tout le monde autour et jamais sur celui qui est juste en dessous. Mais la science protège pas de tout...

14

L'année dernière, pour la fête des mères, j'avais fabriqué à l'école un super carnet avec une couverture décorée en nouilles collées. Dedans, sur la première page, j'avais fait une peinture avec un cœur et j'avais écrit « je t'aime maman » sur la page d'à côté. L'année d'avant, c'était pareil : le cœur avec le je t'aime mais sur une assiette en porcelaine qu'on avait décorée et que la maîtresse avait fait cuire dans le four de la salle de travaux manuels pour que la peinture reste.

Cette année, j'en ai eu marre des petits cadeaux de l'école. Ma maman devait avoir un truc vachement plus beau et plus grand et plus créatif et qu'elle s'y attende pô du tout.

Manu me tenait compagnie et, en plus, il disait des trucs vachement sympa sur le super dessin géant que je préparais pour maman. J'avais d'abord pensé à faire un truc en couleur comme les tableaux des musées avec un dessin d'une dame toute nue ou un paysage, mais finalement je me suis dit que c'était pas rigolo et j'ai préféré faire un truc plus cool.

J'ai même pas fait de dessin au crayon d'abord, parce que, à cette taille-là, pour gommer après, c'est pô triste !

J'ai vachement fait gaffe à bien faire les détails des taches et des écailles, parce que c'est ça qui en jette le plus.

Je me demandais quand même tout le long si maman aurait pas préféré le tyrex que je voulais faire au début mais Manu disait que mon dessin était top classe.

Et c'est vrai que, même si j'ai mis beaucoup de temps pour le faire, à la fin, j'étais assez content du résultat. Y'avait plus qu'à mettre un petit mot de fête des mères et c'était prêt...

Table

Rejoins

tchô!
La collec...

Par TEHEM
7 tomes parus

Par NOB
4 tomes parus

Par LISA MANDEL
3 tomes parus

Par BUCHE
6 tomes parus

Par BOULET
3 tomes parus

Par BERTSCHY
5 tomes parus

Par SUPIOT, BAPTIZAT
& TEHEM
7 tomes parus

Par DAB'S
6 tomes parus

Par BOULET
4 tomes parus

Par TEBO
5 tomes parus

Par JULIEN NEEL
2 tomes parus

Par TEHEM
3 tomes parus

Par RENO & BOULET
3 tomes parus

Par ZEP & TÉBO
2 tomes parus

Par BUCHE
1 tome paru

Par BILL & GOBI
1 tome paru

Par TEHEM
1 tome paru

Par BOULET
1 tome paru

Un problème de dragon ?
Faites appel aux redoutables chasseurs
Gwizdo et Lian Chu !

Imprimé en France par *Partenaires Book*®
n° dépôt légal : 39504 - novembre 2003
20.20.0833.01/2 - ISBN : 2-01-200833-X
Loi n°49-956 du 16 juillet 1949
sur les publications destinées à la jeu